D0115058
toi
Trouve les indices
LE MYSTÈRE
DU CAVALIER SANS TÊTE

ISBN-13 978-0-439-96625-2
ISBN-10 0-439-96625-6
Titre original : Scooby-Doo! and You: A Collect the Clues Mystery — The Case of Headless Henry.

Illustrations de Duendes del Sur
Conception graphique de Madalina Stefan

Édition publiée par les Éditions Scholastic,
604, rue King Ouest,
Toronto (Ontario) M5V 1E1

6 5 4 3 2 Imprimé au Canada 08 09 10 11 12

Jenny Markas
Texte français de Marie-Carole Daigle

— Tu devrais peut-être arrêter un peu, Sammy, lui lance Fred. Tu vas éclater si tu en manges un autre!

— Jamais de la vie! rit Sammy. J'ai encore plein de place. Scooby aussi. Pas vrai, Scooby?

— R'et r'omment! répond Scooby en avalant la dernière bouchée d'un beigne double chocolat.

— Qu'est-ce que tu vas prendre? demande la femme aux cheveux gris, qui se tient derrière le comptoir. Je te recommande les torsades à l'érable.

— Dans ce cas, c'est ce que je vais prendre, dis-tu.

BEIGNERIE CHEZ DORIS

Tu viens d'arriver à la beignerie

chez Doris,
trer la bande de Scooby-Doo.
ec le sourire.
e que tu aimes les beignes.
t les meilleurs en ville. Tu

dis-tu. Je ne sais pas quelle

r, dit Sammy, accoudé au
n ai pris trois à la gelée, deux à
un glacé au chocolat, énumère-
vant l'étalage de beignes frais.

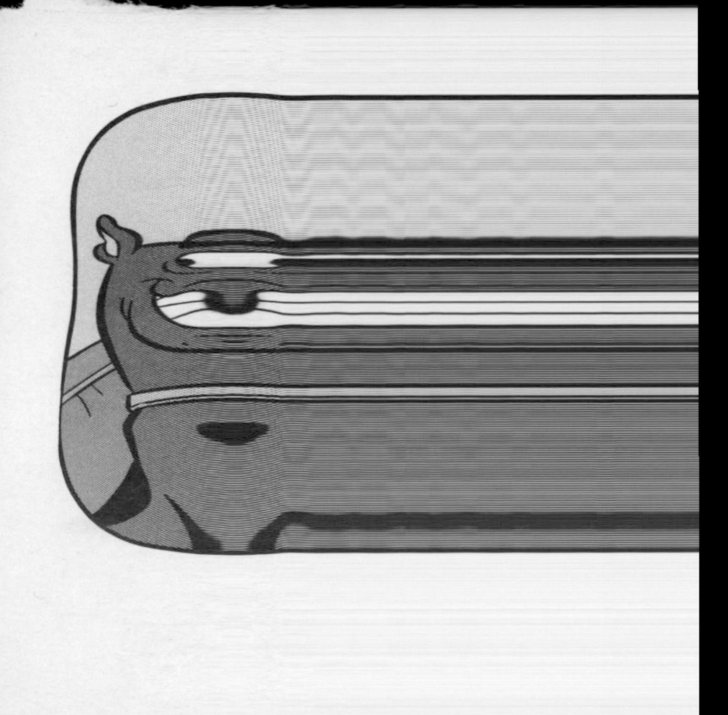

BEIGNERIE CHEZ DORIS

Tu viens d'arriver à la beignerie Chez Doris où tu dois rencontrer la bande de Scooby-Doo. Fred t'accueille avec le sourire.

— Salut! J'espère que tu aimes les beignes. Ceux de Doris sont les meilleurs en ville. Tu en veux un?

— Il y en a trop! dis-tu. Je ne sais pas quelle sorte choisir...

— Je vais t'aider, dit Sammy, accoudé au comptoir. Moi, j'en ai pris trois à la gelée, deux à la noix de coco et un glacé au chocolat, énumère-t-il en salivant devant l'étalage de beignes frais.

— Tu devrais peut-être arrêter un peu, Sammy, lui lance Fred. Tu vas éclater si tu en manges un autre!

— Jamais de la vie! rit Sammy. J'ai encore plein de place. Scooby aussi. Pas vrai, Scooby?

— R'et r'omment! répond Scooby en avalant la dernière bouchée d'un beigne double chocolat.

— Qu'est-ce que tu vas prendre? demande la femme aux cheveux gris, qui se tient derrière le comptoir. Je te recommande les torsades à l'érable.

— Dans ce cas, c'est ce que je vais prendre, dis-tu.

Tu as pris rendez-vous Chez Doris avec tes amis pour qu'ils te racontent le mystère qu'ils viennent de résoudre. Fred t'invite à t'asseoir à une table au fond du restaurant. Véra et Daphné sont déjà là, en train de déguster des beignes à l'ancienne.

— Je suis contente de te voir! s'exclame Véra. Tu vas adorer notre mystère historique.

— Un mystère *historique*? dis-tu.

— Oui, c'était super! dit Sammy. On est retournés dans le temps au Village d'autrefois. Tu peux le faire, toi aussi!

— C'est vrai, dit Fred. Tu n'as qu'à consulter le carnet d'indices de Véra. Elle y a tout noté : les suspects, les indices et tout le reste!

— J'ai dessiné des  chaque fois que nous avons croisé un suspect et une  après chaque indice, explique Véra en te montrant le carnet d'indices.

— Il y a aussi des questions à la fin de chaque section, ajoute Daphné. Si tu réussis à y répondre, tu pourras sûrement résoudre ce mystère historique.

— Mais attention au fantôme! avertit Sammy en léchant ses doigts couverts de miel.

— Un fantôme? demandes-tu.

Tu commences à avoir peur. Mais Sammy ne t'écoute plus. Il est de nouveau au comptoir, Scooby à ses côtés, en train de commander d'autres beignes!

Laisse-les faire! Toi, tu dois t'attaquer à ce mystère, avec son fantôme et tout le reste. Tu prends le carnet que te tend Véra et tu en commences la lecture. Tu te demandes si tu vas parvenir à résoudre *Le mystère du cavalier sans tête*.

Section 1 du carnet d'indices

— Hé, regardez comment ce type est habillé! dit Sammy en montrant un homme qui traverse la rue.

L'homme porte une chemise blanche aux manches bouffantes, un gilet, un pantalon qui s'arrête à mi-jambe et des chaussures ornées de boucles d'argent.

— Il n'a pas acheté ça au centre commercial, ajoute Sammy.

— Sûrement pas! dit Daphné en riant. Et elle, non plus, ajoute-t-elle en indiquant une femme dans la rue.

Celle-ci est vêtue d'une longue robe ornée d'une collerette et de poignets en dentelle blanche. Elle porte une coiffe et tient un panier en osier.

Un peu plus loin, nous apercevons une autre femme en vêtements d'époque. Installée sur le perron d'une maison, elle travaille au rouet. Quand nous passons devant elle, elle nous salue de la main.

— Tout le monde semble bien occupé, dans ce Village d'autrefois, remarque Daphné.

— C'est parce qu'ils vivent comme dans l'ancien temps, explique Fred. À l'époque, il n'y avait pas de téléphone, de four à micro-ondes ou d'automobiles. Tout se faisait à la main.

— Pas de four à micro-ondes? s'étonne Sammy. Alors, comment préparaient-ils leur maïs soufflé?

Nous descendons la rue des Explorateurs et admirons les jolies maisons restaurées. Le Village d'autrefois évoque parfaitement un village d'une autre époque.

Tous ceux qui y vivent portent des costumes d'époque et représentent un personnage. Ça donne vraiment l'impression d'être retourné dans le temps. C'est l'un de mes endroits préférés!

— Voici la boutique du forgeron, dis-je en montrant le bâtiment devant nous.

La façade est complètement ouverte, et nous pouvons voir, à l'intérieur, un homme costaud protégé par un tablier en cuir, qui s'active devant les flammes. Il fait chauffer un morceau de fer, qu'il martèlera ensuite pour en faire un outil, un clou ou un fer à cheval. Nous nous arrêtons pour l'observer.

— Ah, vous voilà! s'écrie un homme portant un long manteau marine, un tricorne, ainsi qu'un pantalon à mi-jambe, comme cet autre homme que nous venons de voir. Bienvenue au Village d'autrefois! ajoute-t-il en s'empressant de nous rejoindre.

— Les amis, voici Prosper Latendresse, dis-je. C'est le maire officiel du Village d'autrefois. Il en est aussi le propriétaire!

— Du moins, pour le moment, précise le maire, un brin de tristesse dans la voix. Qui sait si je pourrai garder l'endroit ouvert? Nous avons de gros problèmes, ici. C'est pourquoi je t'ai appelée, Véra. J'espère que tes amis et toi pourrez m'aider, dit-il en m'adressant un sourire.

— Nous allons faire de notre mieux, je vous le promets. Mais qu'est-ce qui se passe, au juste?

— Nous avons bien moins de clients qu'avant! répond l'homme d'un air découragé. Et les rares visiteurs finissent par s'enfuir aussitôt que le fantôme apparaît.

— Un fantôme! s'exclame Sammy. Quelle sorte de fantôme?

Sammy et Scooby ne semblent pas très rassurés.

— C'est un cavalier sans tête, répond le maire, un soldat hessois. Les Hessois étaient des soldats allemands engagés par les Britanniques pour combattre les soldats américains, lors de la Guerre de l'indépendance. La guerre a pris fin depuis plus de deux siècles, mais le cavalier sans tête est revenu d'entre les morts pour poursuivre le combat.

— Quand a-t-il fait sa première apparition? demande Daphné.

— Il y a deux semaines, répond le maire Latendresse. À tout moment, il arrive sur son grand étalon noir, la tête à la main, et effraie tout le monde.

— Au moins, il ne laisse pas de déchets derrière lui, grommelle un homme aux cheveux noirs qui s'est approché de nous.

Grand et mince, il porte une salopette grise tout à fait de notre époque.

— Je vous présente Jean-Marie Hertel, dit le maire. C'est notre homme à tout faire, ici. Il s'occupe de l'entretien du village.

— Et ce n'est pas peu dire, se plaint Jean-Marie Hertel. Tous ces visiteurs passent leur temps à jeter leurs emballages de friandises par terre et à salir partout. À mon avis, moins il y a de clients, mieux c'est!

— Je ne suis pas d'accord avec toi, Jean-Marie, dit le maire en riant. Il nous faut encore plus de clients!

— Nous ferons tout notre possible pour vous tirer de ce pétrin, lui promet Fred, d'un air rassurant. Le Village d'autrefois est un endroit magnifique. Nous n'allons pas laisser ce cavalier sans tête le forcer à fermer ses portes.

Le coup de pouce de Fred

Le Village d'autrefois est tout simplement génial! J'adore voir l'histoire revivre ainsi sous mes yeux. C'est comme si mes amis et moi faisions un voyage dans le temps. As-tu vu les 👁 👁 dans cette section? Si oui, c'est que tu as repéré l'un des suspects. Réponds aux questions qui suivent afin d'avoir quelques pistes.

1. Quel est son nom?

2. Quel est son métier?

3. Pourquoi ce suspect veut-il que le village ferme ses portes?

Bravo. Si tu as répondu à toutes les questions, poursuis ta lecture. Tu trouveras d'autres indices.

Section 2 du carnet d'indices

— Aimeriez-vous faire une petite visite? demande le maire Latendresse. Je serais heureux de vous faire découvrir toutes les beautés de mon village!

— Super! dis-je, en acceptant.

— Voulez-vous commencer par quelque chose en particulier? demande le maire. Je peux vous montrer plein d'endroits intéressants. Il y a l'atelier de chandelles, la cordonnerie, et aussi le magasin général et ses bonbons à la pièce.

— Euh, un instant! l'interrompt Sammy. Avez-vous bien dit « bonbons »?

— Bien sûr! répond le maire. Vous trouverez au magasin général toutes les sortes de bonbons imaginables, à seulement un cent chacun. Et il y a plein d'autres bonnes choses, comme du jus de pommes fraîchement pressé, des tartes et des gâteaux maison, des fromages, des biscuits...

— R'iam, r'iam! fait Scooby.

— Ça, tu peux le dire! renchérit Sammy. L'air de la campagne, ça vous creuse l'appétit. Une petite visite au magasin général ne serait pas une mauvaise idée...

— Franchement, Sammy, peux-tu penser à autre chose qu'à manger? s'impatiente Daphné. Allons d'abord visiter d'autres endroits!

— Je suis d'accord avec Daphné, dis-je. J'aimerais voir l'atelier de chandelles.

— Parfait, dit le maire Latendresse. La maison de la veuve Bougie est sur le chemin du magasin général, et elle est justemcnt en train de terminer un lot de chandelles. Passons la voir avant de prendre une bouchée.

Le maire nous guide sur la rue pavée, qui longe une rangée de vieilles maisons, toutes agrémentées d'un jardin propret. En chemin, nous rencontrons plein de gens vêtus à la mode d'autrefois.

Puis le maire s'engage dans une petite rue qui zigzague, appelée la ruelle du Souvenir. Nous le suivons jusqu'à une maisonnette, au parterre rempli de fleurs multicolores. Il y a aussi un jardin potager, où s'alignent de belles rangées de légumes : du maïs, des haricots, des tomates et des choux.

— Voici la maison de la veuve Bougie, dit le maire. Elle adore jardiner!

— Ça se voit, dis-je en humant l'agréable parfum d'une rose.

— Bonjour et bienvenue! dit une petite voix venant du perron. Je suis bien contente d'avoir de la visite.

La vieille dame porte une robe longue, et un bonnet protège ses cheveux d'une blancheur immaculée. Son visage est ridé, mais un éclair de vivacité brille dans son regard. Elle est debout près d'un support en fer forgé, où sont alignées de petites chandelles faites à la main.

— Vous arrivez juste à temps pour me voir à l'œuvre, dit-elle. Venez à l'intérieur près du feu, et je vais vous montrer comment je fabrique mes chandelles.

La maison de la veuve Bougie est propre et chaleureuse. Elle ressemble vraiment à une maison du siècle dernier. De petits tapis tissés à la main couvrent le sol, des herbes et des fleurs en train de sécher pendent aux poutres, et une grosse marmite est suspendue dans l'âtre de la cuisine.

— Je cuisine toujours sur ce feu, dit la veuve Bougie. Je ne suis pas comme certaines femmes du village, qui cachent des électroménagers modernes dans leurs placards. Moi, je fais tout comme dans l'ancien temps.

— Les visiteurs doivent adorer ça, dit Daphné.

— Ah, les visiteurs! dit la veuve Bougie d'un ton méprisant. Je ne fais pas tout ça pour *eux*! J'habite ici parce que ça me plaît, ajoute-t-elle. Je ne m'en ferais pas du tout si personne ne

venait tourner autour de moi. Ça ferait peut-être même mon affaire! Je pourrais faire mon travail, sans être obligée de tout expliquer.

Soudain, son air fâché fait place à un beau sourire.

— Mais avec vous, c'est différent. Je suis très heureuse de vous expliquer comment je fabrique mes chandelles. Et je veux absolument que vous preniez une tasse de thé et des biscuits avec moi.

— Super! s'empresse de répondre Sammy. Ça, c'est une bonne idée! Mais ça ne nous empêchera pas d'aller aussi au magasin général, hein? glisse-t-il au maire en se penchant vers lui.

— Mais non, mais non, répond le maire en riant. Nous irons partout où vous voudrez. Le Village d'autrefois a plein de belles choses à vous offrir.

Le coup de pouce de Daphné

J'adore le Village d'autrefois! La maison de la veuve Bougie est vraiment chaleureuse et accueillante. J'y passerais bien toute la journée. Mais je ne veux rien manquer du reste. Et puis, nous avons un mystère à résoudre! As-tu vu les [eye icons]? Tu as donc rencontré un autre suspect. Essaie de répondre aux questions qui suivent afin d'éclaircir le mystère.

1. Quel est le nom du suspect?

2. Que fait cette personne au Village d'autrefois?

3. Pourquoi voudrait-elle éloigner les clients du village?

Beau travail! Continuons d'explorer cet endroit fascinant!

Section 3 du carnet d'indices

— Tous les cours d'histoire devraient être comme ça! dit Sammy en dévorant des yeux les tartes et les gâteaux en vitrine.

Après notre visite chez la veuve Bougie, le maire Latendresse nous a fait prendre l'avenue des Antiquités menant au magasin général. Il nous y a laissés, le temps d'aller vérifier quelques petites choses à son bureau.

Le magasin est rempli de toutes sortes de choses délicieuses. Il y règne un parfum de cannelle et d'épices. Ses planchers en bois et ses rangées encombrées ont un air d'un autre temps.

On y trouve de tout, des rubans en satin aux clous et aux marteaux, en passant par les poupées en porcelaine et les immenses barils de biscuits.

Il est évident que Sammy et Scooby ne s'intéressent pas du tout aux rubans et aux poupées. Après avoir examiné les tartes, ils se dirigent d'un pas assuré vers le comptoir de bonbons.

— R'agnifique! s'exclame Scooby, qui a les yeux ronds devant un incroyable alignement de pots en verre remplis de friandises de toutes sortes et se lèche les babines en les regardant.

Nous nous approchons, nous aussi, du comptoir. Chacun examine les friandises offertes et se demande laquelle il va choisir.

— On voit rarement d'aussi beaux étalages, n'est-ce pas?

L'homme qui vient de prononcer ces mots porte des vêtements tout à fait modernes : un jean et un chandail. Il se frotte les mains devant tous ces bonbons.

— Je viens ici presque tous les jours. Ce comptoir m'attire comme un aimant!

— Encore des petits barils à la racinette, monsieur Hambart? demande une femme souriante, derrière le comptoir.

Elle porte une robe longue et une coiffe, tout comme les marchandes de bonbons d'autrefois.

— Bien sûr, comme d'habitude! répond l'homme.

La femme plonge une cuillère en argent dans un bocal de bonbons en forme de petits barils et remplit un gros sac, qu'elle remet à son client.

— Merci, dit-il. Goûtez-moi ça! lance-t-il en nous offrant son sac. Ce sont mes préférés : ils sont irrésistibles!

Nous prenons chacun un bonbon. C'est vrai que son bon goût de racinette à l'ancienne est irrésistible.

— Merci, dis-je, avant de nous présenter.

— Heureux de faire votre connaissance, répond l'homme avec entrain. Je m'appelle Dollard

Hambart. Je suis promoteur de parcs d'attractions et un visiteur assidu du Village d'autrefois!

— Je vous comprends, répond Daphné. C'est un endroit extraordinaire!

— Ça pourrait l'être encore plus, enchaîne M. Hambart en baissant la voix. Il suffirait d'ajouter des manèges, une ou deux boutiques où on vendrait des t-shirts et des babioles, et il y aurait deux fois plus de monde. Le village ferait donc deux fois plus d'argent...

Le maire Latendresse entre dans le magasin juste à ce moment-là.

— Hambart! rugit-il. Vous n'êtes pas encore en train de parler de vos manèges et de vos babioles, j'espère? Je vous l'ai dit et redit : je n'accepterai jamais ce projet ridicule. Les manèges n'ont pas leur place dans le Village d'autrefois. Il n'y a pas que l'argent qui compte, dans la vie!

Dollard Hambart hausse les épaules tout en avalant un autre petit baril.

— Vous partagerez bien mon avis, un jour ou l'autre, dit-il au maire Latendresse en se dirigeant vers la porte. Et le jour viendra où vous devrez me vendre le village parce qu'il n'y aura plus un seul visiteur.

Le coup de pouce de Sammy et de Scooby

La tête me tourne! Quel bonbon goûter en premier? Je n'arrive pas à me décider! Les oursons en chocolat sont tentants, mais ces bonbons au miel sont probablement les meilleurs au monde! Et en plus, je dois m'occuper d'un mystère! As-tu remarqué le nouveau suspect? Si tu as vu les 👁👁 , tu peux probablement répondre aux questions qui suivent.

1. Quel est le nom du suspect?

2. Quel est son métier?

3. Pourquoi voudrait-il faire peur aux clients du Village d'autrefois?

Section 4 du carnet d'indices

— Dire que je m'inquiétais d'avoir à choisir, dit Sammy en sortant du magasin général avec nous. Et tout ce que j'avais à faire, c'était d'en acheter un peu de chaque sorte! dit-il en regardant avec gourmandise son gros sac de bonbons.

Scooby sourit, en regardant le sac bien plein qu'il a, lui aussi.

— C'est ça l'avantage des bonbons à la pièce, dit Fred. On peut en avoir plein sans trop dépenser.

— Où allons-nous, maintenant? demande

Daphné, en étudiant le plan collé sur un grand panneau, à l'intersection de l'avenue des Antiquités et du chemin du Patrimoine.

Je suggère la cordonnerie, avant d'ajouter :

— Ou nous pourrions voir comment se passe la corvée de piquage de courtepointe, ou encore visiter l'ancienne école. Ce n'est pas le choix qui manque!

— Moi, je pense qu'on devrait rester assis ici, à manger nos bonbons, dit Sammy. Toutes ces leçons d'histoire me donnent faim!

— N'oubliez pas que nous avons aussi un mystère à résoudre, nous rappelle Fred. Nous devons trouver la personne – ou la chose – qui se cache derrière ce fameux cavalier sans tête qui effraie tous les visiteurs.

— Bof, moi, je dis qu'il n'y en a pas, de fantôme! On n'en a pas vu la moindre trace... déclare Sammy en plongeant la main dans son sac. Eh, Scooby! Il me reste des caramels! poursuit-il en étudiant les bonbons dans sa main.

Scooby ne répond pas.

D'ailleurs, personne ne dit un mot.

C'est parce que nous sommes tous bouche bée devant l'étalon noir le plus gros que nous avons jamais vu. Il dévale la rue au trot, fonçant droit sur nous!

Et son cavalier est... un soldat sans tête!

Levant la tête, Sammy voit le fantôme à son tour.

— Aaaaah! Sauve qui peut! s'écrie-t-il.

Il bondit si vite de son banc que son sac se renverse par terre. Scooby détale aussi vite que lui.

Mais nous, nous restons assis, figés de peur et de surprise devant ce fantôme sans tête.

L'énorme cheval continue de s'approcher. Bientôt, le bruit de ses sabots est si fort qu'on dirait le tonnerre. Le soldat juché sur son dos fait terriblement peur à voir.

Il porte une longue redingote garnie de galon rouge. À la hauteur du col, là où devrait se trouver la tête, le pan d'étoffe est bien refermé. Une longue épée pend à son ceinturon et il porte un fusil en bandoulière. Les jambes de son pantalon, d'une blancheur immaculée, sont protégées par des guêtres noires en toile épaisse, maintenues en place par des boutons en laiton étincelants de propreté.

D'une main, il serre les rênes qui guident l'étalon noir.

De l’autre, il tient... sa tête!

Un casque en laiton de forme allongée couvre une partie de son visage verdâtre. Tant mieux, parce que je ne tiens pas particulièrement à en voir tous les détails. Après tout, ce cavalier est mort il y a plus de deux cents ans!

— C’est le genre de casque que les soldats hessois portaient! me souffle Fred à l’oreille. J’ai déjà vu leur uniforme dans un livre d’histoire.

J’ai tellement la frousse que je reste figée. Imaginez : un fantôme sans tête, au beau milieu de la journée!

À la vue du fantôme, les autres visiteurs

quittent le village en hurlant. Mais le fantôme ne leur prête aucune attention.

— Par ici, Scooby! crie Sammy, de l'autre bout de la rue.

Il veut que Scooby se cache avec lui dans une rue latérale. En entendant Sammy, le cavalier sans tête s'élance dans sa direction.

On dirait qu'il en veut à Sammy et à Scooby!

— Oh non! dis-je en voyant le cavalier sans tête pourchasser mes amis.

Le voyant s'approcher, Sammy et Scooby déguerpissent aussi vite que possible. Ils se précipitent dans un grand bâtiment en bois.

C'est le centre communautaire, là où se tient la corvée de piquage de courtepointe.

Le cavalier sans tête arrête son cheval, qui se cabre. Il contourne ensuite le bâtiment pour atteindre la cour arrière. Il y attend Sammy et Scooby, qui sortent justement par une porte de service, empêtrés dans des morceaux de tissu aux motifs multicolores. Ils ont sûrement traversé l'atelier de couture en trombe.

— Au secours! crie Sammy en se retrouvant devant le cavalier sans tête.

Le cheval se cabre de nouveau, pendant que le cavalier brandit sa tête dans les airs.

Sammy et Scooby en profitent pour s'enfuir par une autre ruelle.

Les ayant perdus de vue, le cavalier sans tête retient son cheval. Il fait tourner sa tête casquée d'un côté, puis de l'autre, pour examiner les alentours. Mais il n'arrive pas à repérer Sammy et Scooby. Il quitte alors les lieux au grand galop.

Nous poussons tous un soupir de soulagement en l'entendant s'éloigner.

— L'avez-vous vu? demande le maire Latendresse, qui est venu nous rejoindre à toute vitesse. Je vous en prie, faites quelque chose! Il fait peur à tout le monde! Je pense qu'il se dirigeait vers la maison de la veuve Bougie.

— Nous allons faire de notre mieux, lui dis-je.

Au même instant, Scooby et Sammy sortent de la ruelle voisine. Scooby a encore des morceaux de courtepointe sur le dos. Sammy en est enveloppé, lui aussi.

— Avez-vous vu mes bonbons? demande Sammy, plein d'espoir.

— Ce n'est vraiment pas le moment! répond Fred. Il faut nous séparer et chercher des indices. Toi et Scooby, allez chez la veuve Bougie. Daphné, Véra et moi allons inspecter les autres boutiques. Rencontrons-nous ensuite au

magasin général pour voir ce que nous avons trouvé.

— Bonne idée, approuve Daphné.

— Bon, d'accord, répond Sammy en marmonnant. Mais si je revois ce cavalier sans tête, je suis fini.

— R'oi r'aussi, renchérit Scooby, en tapant dans la main de Sammy.

Section 5 du carnet d'indices

Voici ce que Sammy et Scooby nous ont dit, plus tard, de leurs aventures.

Assis sur le perron de la veuve Bougie, Sammy et Scooby tentent de reprendre leur souffle, tout en mangeant les biscuits qu'elle leur a offerts.

— Et puis après, le cavalier sans tête s'est lancé à notre poursuite, mais, bon, on a réussi à s'échapper, raconte Sammy en prenant un autre biscuit.

— Il s'en passe des choses bizarres dans notre village, dit la veuve Bougie en hochant la tête. D'abord des fantômes, et maintenant, des voleurs...

— Des voleurs? demande Sammy.

— Eh oui! répond la femme. Quelqu'un a volé mon chou le plus beau et le plus gros. Ça n'a pas de sens.

Elle les mène à son potager, où on voit très bien l'ancien emplacement du chou disparu.

Sammy remarque alors quelque chose d'étrange. Il y a de grosses empreintes de pas sur le sol.

— Qui voudrait voler un chou? demande Sammy en se grattant la tête. C'est peut-être quelqu'un qui aime la choucroute?

— R'ou la r'alade de r'ou? suggère Scooby.

— C'est vrai, dit Sammy. Ça pourrait aussi servir à faire de la salade de chou.

— Que ce soit pour faire de la choucroute ou de la salade de chou, voler, c'est voler, dit la veuve Bougie. Pouvez-vous m'aider à retrouver le voleur?

— Bien, on va essayer, dit Sammy. Voyons où mènent ces empreintes boueuses.

Scooby colle le museau au sol et flaire tout autour.

— R'ar ici, dit-il en pointant vers la rue.

Sammy remarque alors une traînée de feuilles de chou par terre, en direction de la ruelle du Souvenir. Ils suivent cette nouvelle piste. Soudain, Scooby lève le museau en l'air.

— R'iam! R'iam! dit-il.

— Qu'est-ce que tu sens? demande Sammy en humant tout autour, lui aussi. Sapristi! s'exclame-t-il, on dirait bien que quelqu'un fait cuire un gâteau au chocolat.

Sammy et Scooby en oublient les empreintes et les feuilles de chou. Ils suivent plutôt la direction indiquée par leur odorat, qui leur fait descendre la rue, puis tourner à une intersection. La bonne odeur semble provenir du magasin général.

— Bon, il n'y a pas de mal à s'arrêter un peu ici, dit Sammy en admirant les douceurs offertes en magasin. Les feuilles de chou ne mènent nulle part. De toute façon, c'est ici qu'on doit rencontrer les autres.

Il ouvre la porte et entre dans le magasin, suivi de Scooby.

Le coup de pouce de Fred et de Daphné

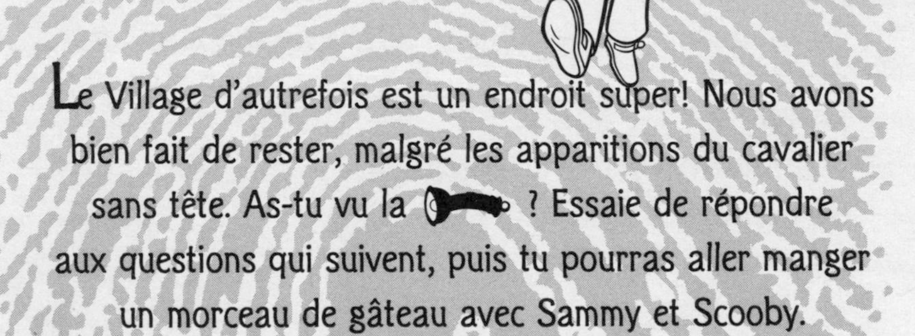

Le Village d'autrefois est un endroit super! Nous avons bien fait de rester, malgré les apparitions du cavalier sans tête. As-tu vu la ? Essaie de répondre aux questions qui suivent, puis tu pourras aller manger un morceau de gâteau avec Sammy et Scooby.

1. Quel indice as-tu trouvé à la maison de la veuve Bougie?

2. Parmi les suspects, lequel aurait pu laisser un tel indice?

3. Quel pourrait être le lien entre cet indice et le cavalier sans tête?

Section 6 du carnet d'indices

Entre-temps, Fred, Daphné et moi cherchons des indices dans les rues du Village d'autrefois.

Nous nous arrêtons d'abord à la cordonnerie. Un homme aimable, portant un épais tablier en cuir, nous montre comment fabriquer des chaussures à l'aide de formes en bois.

— Je fais toute la couture à la main, explique-t-il fièrement.

Ensuite, nous jetons un œil par la porte de la vieille école.

— Nous ne voudrions pas déranger votre classe, dit Daphné au maître, mais nous aimerions savoir si quelqu'un a remarqué quelque chose de particulier dans les alentours, aujourd'hui?

Tous les enfants lèvent la tête.

— Moi! dit un petit garçon en levant la main.

— Je ne t'ai pas donné la permission de parler, dit le maître en fronçant les sourcils. Mais si tu penses avoir vu quelque chose qui peut intéresser ces bonnes gens, dis-le.

— Oui, j'ai vu quelque chose, dit le garçon. J'ai vu le maître en train d'embrasser mademoiselle Émilia, derrière le centre communautaire!

Le maître rougit jusqu'aux oreilles. Toute la classe éclate de rire. Le garçon est fier lui.

— Eh bien, dit Daphné en souriant, c'est très intéressant, mais ce n'est pas exactement le

genre de nouvelles que nous cherchons! Merci quand même!

Elle salue le maître, qui semble bien embarrassé.

— Bon, qu'est-ce que nous faisons, maintenant? demande Fred.

— Nous pourrions aller inspecter l'écurie, derrière l'atelier du forgeron, dis-je. On ne sait jamais : peut-être que nous allons y trouver l'étalon noir monté par le cavalier sans tête.

— Excellente idée! dit Daphné.

Nous nous dirigeons vers l'écurie. Les chevaux se reposent dans les stalles. Il règne une bonne odeur de foin dans le bâtiment... et aussi une autre odeur, celle du goudron.

Le nom de chaque cheval est inscrit sur une plaque en laiton. Les selles sont accrochées au mur. Et juste là, dans la stalle du fond, se tient l'énorme étalon noir que chevauche le cavalier sans tête. Il s'appelle Tempête. Il hennit quand nous passons devant lui.

Dehors, nous retrouvons Jean-Marie Hertel.

— Qu'est que vous faites ici? demande-t-il d'un ton bourru en se penchant pour ramasser quelque chose.

— Nous voulions simplement voir les chevaux, dis-je.

— Ce sont des bêtes horribles! dit-il en frissonnant. Je ne m'en approcherais jamais si je n'y étais pas obligé par mon travail, dit-il en montrant les déchets par terre.

— Mais d'où vient donc cette chose? s'étonne Daphné en remarquant un énorme chou par terre.

— Ça doit être le chou que quelqu'un a volé à la veuve Bougie, dit Jean-Marie. Il y avait plein de feuilles de chou par terre, sur la route menant jusqu'ici.

Il ramasse le chou et le jette dans son sac d'ordures.

— Bon, je m'en vais! dit-il en jetant un regard nerveux vers les stalles.

Inspectant une dernière fois le sol, il remarque un petit objet brillant.

— Qu'est-ce que c'est que ça? dit-il en se penchant pour le ramasser.

— Voyons voir, dit Fred. Eh bien, c'est un très beau bouton en laiton brossé!

— Personne au village n'a de boutons de ce genre, à ma connaissance, dit Jean-Marie en l'examinant. C'est probablement un visiteur qui l'a perdu. Je vais le remettre au maire Latendresse.

— Je pense que je sais de quel visiteur il s'agit, dit Fred, tandis que nous quittons l'écurie. Avec un peu de chance, nous aurons bientôt éclairci ce mystère.

Le coup de pouce de Véra

Ça alors! Ce mystère est de plus en plus fascinant. Et nous avons maintenant un autre indice. Si tu as vu la , tu sais de quoi je parle. Et tu peux sans doute répondre aux questions qui suivent.

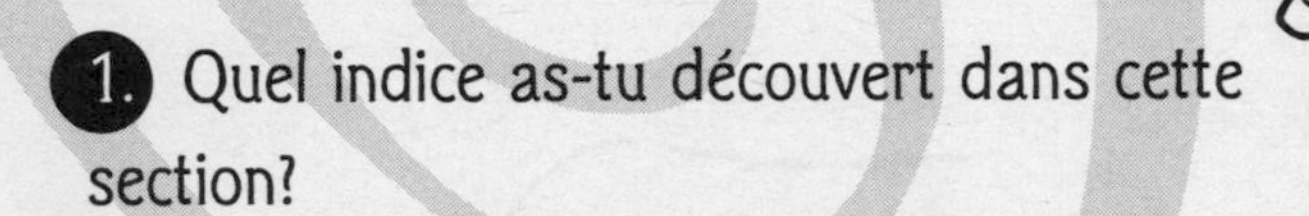

1. Quel indice as-tu découvert dans cette section?

2. À quel suspect pourrait-on relier cet indice?

3. Quel est le lien entre cet indice et le cavalier sans tête?

Excellent! Allons maintenant retrouver Sammy et Scooby, et voir ce qu'ils ont appris.

Section 7 du carnet d'indices

Scooby et Sammy sont sur le perron du magasin général. Bien installés sur un banc, ils ont chacun une assiette sur laquelle trône un énorme morceau de gâteau au chocolat, qu'ils s'apprêtent à dévorer.

Sammy s'empare de son morceau. Il ouvre la bouche bien grand, encore plus grand, et plus grand encore. Il prend une énorme bouchée.

— Dé-li-cieux... marmonne-t-il en fermant les yeux de satisfaction.

Je ne peux pas m'empêcher de rire, tout comme Fred et Daphné. Ensuite, c'est au tour de Scooby.

— R'erardez-r'oi! dit-il.

Pendant que nous le regardons, il prend son morceau de gâteau et ouvre la bouche bien grand, encore plus grand, et plus grand encore. Il se penche et... hop! Il avale le morceau au grand complet.

Gloup!

— Eh, beau travail, Scooby! s'exclame Sammy.

— Vous ne pensez pas qu'il y a des choses plus importantes à faire que de s'empiffrer de gâteau? demande Daphné en secouant la tête.

— Tu as raison, dis-je. Nous avons un mystère à résoudre. Avez-vous trouvé des indices? Avez-vous vu quelque chose de particulier?

Sammy nous parle du chou volé, et nous, nous lui racontons où nous l'avons trouvé.

— Autre chose? demande Fred.

— Je ne ne pense pas, répond Sammy en se frottant le menton. Tout est bien tranquille depuis qu'on est ici. Oh, j'oubliais... On a vu un autre client, le type qui s'appelle Dollard Hambart, celui qui aime les bonbons à la racinette. Cette fois-ci, il n'a pas acheté de bonbons. Il a seulement acheté une trousse de couture; vous savez, les pochettes qui contiennent du fil et des aiguilles?

— Et le cavalier sans tête? Aucun signe de lui? demande Fred.

— Non, répond Sammy en hochant la tête.

Au même instant, nous nous figeons tous sur place. Nous venons d'entendre un bruit de sabots qui s'approche. Nous tournons lentement la tête en direction du bruit.

Brandissant son épée, le cavalier sans tête descend la rue à cheval.

On ne peut pas voir son visage, qui est complètement caché par le casque. Mais, courbé sur sa monture, le cavalier agrippe fermement son pommeau de selle et semble absolument furieux!

— Oh non! s'écrie Sammy.

Levant les bras au ciel, il fait virevolter son assiette, et le gâteau va se coller au plafond.

— À l'aide, Scooby! crie-t-il en se jetant dans les bras de Scooby.

— R'as r'estion! répond Scooby en bondissant.

Puis il saute du perron et s'enfuit dans la rue, suivi de Sammy.

Voyant cela, le cavalier sans tête éperonne son cheval, qui hennit, puis s'élance à la poursuite de Scooby et de Sammy. Le cavalier sans tête passe devant nous à toute allure, fendant l'air de son épée.

— C'est horrible! dit Daphné, pendant que nous tendons le cou, afin de suivre nos deux amis du regard.

— Allons dans ce petit abri! crie Sammy.

Scooby et lui tournent rapidement en direction d'une petite construction en pierres des champs, au milieu de la place publique.

Le cavalier sans tête dirige aussitôt Tempête dans la même direction. Il est à quelques foulées de Sammy et de Scooby. Il est si près que nos amis doivent sentir son souffle dans leur cou.

— Cachons-nous là-dedans! crie Sammy à Scooby.

Il s'élance dans une ouverture pratiquée sur le dessus de la construction en pierres. Scooby fait la même chose.

— Non, Sammy! Ne fais pas ça! crie Fred. C'est le....

Plouf!

Le cavalier sans tête fait le tour de la cachette, puis s'en va au grand galop.

— ...puits du village! finit Fred. Je crois que

nous ferions mieux d'aller les repêcher, ajoute-t-il en riant.

Nous courons jusqu'au puits et actionnons la manivelle à tour de rôle, jusqu'à ce que le seau refasse surface... avec Sammy et Scooby dedans!

— Rien de cassé? dis-je.

— Non, non, ça va, répond Sammy en épongeant son visage dégoulinant. Savez-vous quoi? J'ai remarqué quelque chose de très étrange... Quand le cavalier sans tête était vraiment près de moi, j'ai senti une odeur qui m'a donné une soif terrible. Une odeur qui me rappelait quelque chose que j'aime bien. Mais je ne sais pas ce que c'est. Bizarre, hein? dit-il en se grattant la tête.

— R'a racinette! crie Scooby.

— C'est en plein ça! s'écrie Sammy. Un verre de racinette bien fraîche! C'est ça qu'il sentait, le cavalier sans tête. C'est quand même étrange...

Le coup de pouce de Sammy et de Scooby

Dis donc, nous avons sûrement trouvé un autre indice. As-tu vu la ? Je parie que oui. Peux-tu répondre aux questions qui suivent?

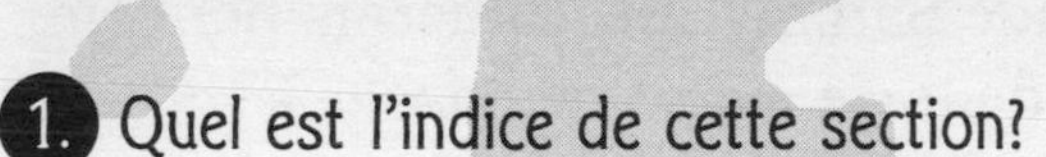

1. Quel est l'indice de cette section?

2. Quel suspect aurait pu l'avoir laissé?

3. Quel lien a-t-il avec les autres indices?

Section 8 du carnet d'indices

— Hum! dis-je. Je crois que je commence à comprendre...

— Moi aussi, dit Fred. Il est grand temps de tendre un piège à ce cavalier sans tête, afin de savoir de qui il s'agit vraiment.

— Je veux bien, mais comment on peut s'y prendre? demande Sammy. Et j'aimerais pouvoir manger un peu de tarte avant de passer à l'action...

— Oh non, tu n'en as pas le temps! proteste Daphné. J'ai une excellente idée. Les soldats hessois combattaient les soldats américains, n'est-ce pas?

Fred et moi faisons signe que oui.

— Donc, si le cavalier sans tête se retrouvait devant des soldats américains, il essaierait probablement de les attraper?

— Mais oui! répond Sammy. Sauf qu'il n'y a pas beaucoup de soldats américains par ici...

— C'est justement là que vous allez entrer en jeu, Scooby et toi, dit Daphné en souriant.

— Oh non! s'écrie Sammy en reculant.

— Oh oui! répond Daphné, d'un ton enjoué. Tout ce que vous aurez à faire, c'est de vous costumer en soldats et de monter la garde devant la mairie. Le cavalier sans tête ne tardera pas à se montrer.

— R'on! dit Scooby.

— Scooby refuse, et moi aussi! déclare Sammy en se croisant les bras sur la poitrine, d'un air buté.

— Allons, Scooby, dis-je de ma voix la plus suppliante. Le ferais-tu en échange d'un Scooby Snax?

— R'as r'estion! répond Scooby en faisant non de la tête.

— En échange de dcux Scooby Snax? demande Daphné.

Scooby ferme les yeux et fait de nouveau signe que non.

— Dans ce cas, trois Scooby Snax... et autant de tarte que tu veux! dis-je.

Scooby ouvre un œil.

— R'accord! dit-il enfin.

— Alors, il faut que j'accepte aussi! lance Sammy. À condition d'avoir aussi de la tarte...

À la boutique de costumes du village, nous déguisons rapidement Sammy et Scooby. Ils ont l'air de vrais soldats, avec leurs chapeaux à l'ancienne.

Fred se glisse dans l'écurie pour faire un petit « ajustement » à la selle de Tempête. Il nous rejoint au moment où Sammy et Scooby commencent à monter la garde devant la mairie.

— Allons-y! Un, deux, trois, quatre! Un... compte Sammy.

En moins de temps qu'il n'en faut pour le dire, le cavalier sans tête se montre.

Monté sur Tempête, il galope jusque devant la mairie en brandissant son épée, qui étincelle au soleil.

À notre signal, Sammy et Scooby courent de toutes leurs forces vers l'écurie.

Tempête se lance à leur poursuite.

Scooby et Sammy courent jusque dans la stalle de Tempête, suivi du cavalier. C'est alors que Fred, Daphné et moi passons à l'action. Comme prévu, nous surgissons de notre cachette et refermons la porte de la stalle.

Nous passons ensuite les bras au-dessus du muret, afin d'attraper Sammy et Scooby et de les hisser hors de la stalle. Ils nous saisissent les mains fermement et réussissent à sortir. Tempête et son cavalier, eux, restent prisonniers.

— Je veux descendre de ce cheval! hurle le cavalier sans tête en gigotant sur sa selle.

Sa voix sort de sa poitrine.

— J'exige qu'on me libère! crie-t-il en essayant toujours de se dépêtrer. Sortez-moi de là tout de suite!

— Ça ne sera pas facile, répond Fred. La colle qui vous retient à la selle est de très bonne qualité!

Fred a en effet recouvert la selle d'une épaisse couche de colle extraforte. Le cavalier sans tête est bien collé à sa selle!

Fred monte alors sur Tempête et commence à déboutonner la redingote du cavalier sans tête.

C'est difficile, car le cavalier sans tête continue à se débattre et essaie de repousser Fred. Mais ce dernier finit par réussir.

Une fois la redingote défaite, nous savons enfin qui est ce fameux cavalier sans tête!

— Ouf! dis-tu en refermant le carnet d'indices. Quelle histoire époustouflante!

— Peux-tu deviner qui se cachait derrière le cavalier sans tête? demande Daphné.

— Je pense que tu peux y arriver, dit Fred. Tu n'as qu'à tenir compte de tous les suspects et de tous les indices signalés dans le carnet.

— C'est ça, dit Véra. Relis mes notes. Pense aussi à chacun des suspects et vois si tu peux en éliminer quelques-uns.

— Ensuite, étudie les indices, ajoute Fred. Quel suspect pourrait les avoir laissés?

— Et n'oublie pas de prendre un autre beigne,

dit Sammy. C'est important de nourrir son cerveau. Moi, je trouve qu'il n'y a rien de mieux que des beignes pour énergiser la matière grise. Surtout ceux à la gelée.

— Franchement, Sammy! dit Daphné en éclatant de rire. De toute façon, quand tu auras terminé, fais-nous signe. Nous te révélerons alors l'identité du cavalier sans tête.

As-tu percé le secret du cavalier sans tête?
Si tu penses connaître la solution,
tourne la page pour savoir si tu as raison!

— C'était Dollard Hambart, le promoteur de parcs d'attractions, annonce Daphné. Il voulait absolument devenir propriétaire du Village d'autrefois et en faire un simple site touristique avec des manèges et des jeux.

— C'est ce qui l'a amené à se déguiser en soldat sans tête pour effrayer les visiteurs, explique Fred. Il tenait un gros chou dans sa main pour faire croire qu'il s'agissait de sa tête, alors que celle-ci était dissimulée sous la redingote.

— C'est donc lui qui a volé le chou de la veuve Bougie, dit Véra. Nous savions qu'elle n'était pas coupable : qui irait voler ses propres légumes?

— Ensuite, il a laissé tomber le chou près de l'écurie et a perdu un de ses boutons en laiton, ajoute Daphné. Il a fallu qu'il se procure une trousse de couture pour en coudre un nouveau.

— Nous avons vite compris que Jean-Marie Hertel ne pouvait pas être le fantôme, car il a une peur bleue des chevaux. Il ne se serait pas promené sur le dos de Tempête, poursuit Fred. Tu t'en doutais sûrement, toi aussi!

— Et je suis sûr que tu as saisi le dernier indice, l'odeur de racinette provenant des

bonbons préférés de Dollard Hambart, dit Sammy. Parlant de sucreries, je prendrais bien un autre de ces beignes...

— R'oi r'aussi! s'exclame Scooby en suivant Sammy jusqu'au comptoir, d'où ils reviennent avec un plateau débordant de beignes de toutes sortes.

— Mais comment vas-tu faire pour manger tout ça, après l'énorme morceau de tarte que tu viens de prendre? s'étonne Daphné.

— Comme ça, répond Sammy en engouffrant un beigne. Tu vois, c'est très simple!

Scooby, lui, avale *deux* beignes d'un trait.

— 'rès r'imple! répète-t-il en agitant la queue frénétiquement.

Puis il se lèche les babines et s'écrie joyeusement : R'ooby-R'ooby-r'oo!